이별 그리고 사랑

이별 그리고 사랑

발   행 | 2024년 08월 26일
저   자 | 청록여우
펴낸이 | 한건희
펴낸곳 | 주식회사 부크크
출판사등록 | 2014.07.15.(제2014-16호)
주   소 | 서울특별시 금천구 가산디지털1로 119 SK트윈타워 A동 305호
전   화 | 1670-8316
이메일 | info@bookk.co.kr

ISBN | 979-11-419-0205-6

www.bookk.co.kr

이별
그리고 사랑

청록여우 단편 시집

CONTENT

사랑 47

이별 그리고 사랑

이별, 사랑
항상 붙어 다니는 단어

그리고 무엇이 일어날지도 모르는
무서운 단어

왜 붙어있을까
이해는 되지 않다만

항상 그렇듯
만남이 있으면
이별도 있는 법

연인이 되면
언젠가는 헤이지는 법

받아들이긴 싫지만
받아들일 수밖에 없는 그 단어

지키고 싶지만
그것을 깨는 그 단어

'이별'과 '사랑'
그 둘은 언제나 함께
갑작스레 찾아오는 인연이다.

이별

이별

'이별'

너무도 많이 격은 단어이다.
그러나 너와 격은 이별이 가장 힘든 것이었다

내 모든 것을 줄 정도로
너를 아기고 사랑했었다

그러나 내가 너의 기대에 미치지 못한 것일까?
가로등 아래에서 나만 홀로 두고
홀연히 사라져 버린 너

매일매일을 방탕하게
의미 없게 살아갔다

너를 잊지 못하고
또 너를 그리워하며

바보 같던 나를 미워하며
또 하루하루를 지새운다.

마지막으로 걷는 올레길

둘이서 같이 걷던
작은 올레길

항상 함께했던
아주 조그마한 올레길

비가 오나 눈이 오나
항상 너와 함께하던
작은 올레길

두 손 꼭 붙잡고
함께 걷는 작은 올레길

지금 마지막으로 걷는
너와 함께 걷는
내게는 소중한 작은 올레길.

눈물의 이별

눈물이 난다.
너와 함께 걷던 이 길에

네가 없어서
너무 쓸쓸해서

붙잡고 있던
그 따스한 손이

오늘따라 몹시 그립다.

눈물로 씻겨 내려보지만
네가 너무 강렬해서
미련이 남지만 받아들인다.

잊고 싶지만

지우려 해도
잊으려 해도
계속 생각나는
그 시절이

언젠간 잊겠지
기억도 못하겠지

하지만 언제나 내 가슴에
몽우리 져있는
가슴 아픈 내 사랑아..

이별 2

이별이란 것이
정의가 무엇일까

친구와의 이별?
연인 간의 헤어짐?
세상과의 단절?

무언가와 헤어짐
이것이 이별이다

언제나 항상, 어디서든
갑작스레 일어나는 그것
그것이 이별이다

이별은 별거 없다.
단지 가슴이 아플 뿐....

물에 비친 달

너를 사랑했다

너는 마치 물에 비친 달처럼
손을 뻗어도 닿지 않았다

잡힐락 말락 하면서
잡히려 하면

너는 어느새 물결로
나를 떠나간다.

내가 그 물속으로 들어가야
너와 닿을 수 있는 걸까?

첫사랑

좋아하는 이가 생겼다.

보고만 있어도
붙어만 있어도
항상 기분이 좋았다

어쩌다 네가 말을 걸어오면
그날은 항상 기분이 좋았다

그런데 어느 날 네게 연인이 생겼다.

용기를 낼걸
한 발짝만 더 다가갈걸.

미련

한번 떠난 이를
잊지 못해서

그 사람을 잊지 못해
그 마음가지 무너트리는 건

내가 버리지 못한 미련
그 미련 하나이다.

바위옆 작은 바다꽃

시간이 약인데
그래서 쓴가?

바위옆 한쌍의 꽃은 함께인데
너 없이 지내며
차가운 바닷바람을 맞는 나는
하루하루가 외롭다

너 없이 지내는 모든 시간은
바다 앞 한 떨기 바다꽃처럼
외롭습니다.

우울한 이유

왜 우울할까?

잊으려는 그 고통이
아픈 그 기억이
이별의 그 순간이

잊히려는 슬픔보다
몇 배는 크기에 그런가 보다.

떨어지는 꽃잎

내가 말하지 않으면
그건 너도 모르는 일

내가 눈길을 주지 않으면
그건 너도 눈길을 주지 않는 일

네가 티를 안 내면
그건 나도 모르는 일이다

서로 말하지 않아
결국 이별하는 우리
떨어지는 우리.

뒤늦은 후회

그러는 게 아닌데
뭐라도 두고 그 집을 나와야 했는데

너는 그 자리에 계속 있을 텐데

떠나지 말고
네 곁에 있을걸...

아름다운 이별

떠나는 사람은
옛 연인을 위해

남은 이도
옛 연인을 위해

누군가는 참으며
누군가는 미워하며

또 누군가는 슬퍼하며
또 누군가는 괴로워하며

한마디라도 더
뭔 말이라도 꺼내고 싶다만

그러지 못하며
스스로를 자책하고
서로를 위해

묵묵히 이별을 맞이한다.

발걸음

언제 한번 발걸음이 떨어지지 않은 적이 있다.

무언가 가지 말라고
날 잡고 있는 것처럼

그러나 나는 그걸
그냥 뿌리치고 떠났다.

두려움

너의 아픔이
너의 두려움이

그 이별이
나에게 올까 봐 두렵다.

하루가 멀다고

하루가 멀다고
자책만 한다

내가 왜 그랬을까?

그러나 이미 뒤늦은 후였다.
시간은 되돌리지 못하는 것인데....

바람 같은 사람

바람이 분다
옷을 뒤집어써도

네가 없기에
춥기만 하다

붙잡으려 해도
잡을 수 없던

저 멀리 날아간
바람 같은 사람아.

마침표

너와의 삶에
마침표를 찍었다

내가 부족해서 그런지
허무하게 찍혔다.

취미

공허하다
너와의 이별이
이리 나를 공허하게 만든다

너라는 취미가 없어지니
뭐 하나 흥미가 없어졌다

비 내리는 날

비가 내리는 날은
너와 이별한
내가 가장 싫어하는 날이다

비가
쓰라린 내 가슴을 적시면
그나마 괜찮을 줄 알았는데..

다시 시작한다면

다시 시작한다면
네 얼굴을 다시 볼 수 있다면

슬픈 기억들을
걷어낼 수만 있다면

다시 시작해서
더 잘해줄 수 있다면

이 생각이 날 때는
이미 늦어버린 후겠지....

아물지 않는 상처

살갗을 찢는 고통이
내 가슴을 찢어 놓는다

이별이란 고통이
내 정신을
찢어 놓는다

그 고통이 멎을 때쯤
마지막 잎새 하나가 떨어진다.

늦게 도착한 편지

구름처럼 떠다니다
여름처럼 느리게
나무처럼 길게

다시 마주치면
후회만 남는다.

마지막 이야기

너무 사랑해서
그 이야기가 끝이 없을 줄 알았다

너를 나로 생각해서
나처럼
울고
웃고
아프게 하며

너를 헤아리지 못했을 땐
우리의 그 이야기가
끝이 난 후였다..

비

비가 내린다
달리는 버스 밖으로
굵은 빗줄기가 내린다

이제 아픈 내 가슴을
비라는 눈물로
씻을 수 있기를...

다시 만난다면

너를 다시 마주한다면

다시 다른 이를
사랑해야 한다면

너와 다시 이별한다면

절대로
두 번 다시는
마주하지 않기를...

보내지 못하는 편지

가장 지친 날에
네게 편지를 보낸다

보내진 않지만
혹 네게 닿을까 생각하며

너를 그리워하는 마음을
이리 편지로 풀어낼 수만 있다면

언제나 그렇듯
눈물로 이 편지를 써 내려간다.

지평선

어제도
또 오늘도
내일을 기약하며

나는 오늘도
저 지평선 너머로 사라지는 내님을
그리워합니다

매일 오지만
나와는 닿을 수 없는
내 님을...

뒤돌아 보지 않는 사람

험한 길을 가시다
혹 발병이라도 나실까

매일매일을 무사히
안전하게 오길 바라며
기도했는데

달님이 지켜보는 가운데
나를 버리고

미안하다는 그 한마디만 남기고
멀리멀리 떠나간 그 사람아

한 번만이라도
단 한 번이라도

뒤돌아보지 않는
야속하고

또 미운
내 세상이었던 사랑아.

사랑

연모

절대로 잊을 수 없는 기억이 있다.

태어나 빛을 보던 순간
너를 만났던 순간
네 머리에 붉은 꽃장식을 꽂아 주던 순간
너와 담소를 나누며 밤을 지새우던 순간
단옷날 네 머리에 비녀를 꽂아주던 순간
너와 나의 분신이 태어나던 순간

내 일생에는
언제나 항상
네가 존재했다.

혹여 안으면 부서질까 봐
잡으면 망가질가 봐

실수라도 하면 네가 떠날까 봐
항상 노심초사하며

너와 한평생을 살아갔다.

연모한다 내 일생을
연모한다 내 일생이었던 너를
연모한다 너를...

너를 삼킨 별

눈부셨다
나를 향한 너의 그 환한 미소가

아름다웠다
나를 바라보는 네가

별인 줄 알았다

별이 너를 삼켜
네가 별처럼 보였나 보다.

쳇바퀴

연인이 되었다.

처음에는 누구나 그렇듯
서로 수줍어 하며

갈수록 서로를 더 깊이 이해하고
더 가까워지며

매 순간 너와 함께
반복적인 삶을 살았다

마치 쳇바퀴처럼
언제나 같은
그런 삶이지만

너 하나만 있어도
너와만 있어도
그것 하나만으로도

충분하다.

장마

쉴 새 없이 계속해 비가 내린다.

너무 습해서
없던 짜증도 생겨난다.

그러나 너와 함 깨라면
짜증 없이 보낼 수 있을 거 같다.

질투

질투하나 보다.
너와 같이 있는 저 사람을

질투하나 보다.
네게 닿은 자들을

질투하나 보다.
모든 이들을

사랑하나 보다.
너를...

바람

그러고 싶다

너와 함께
저 멀리서 불어오는 바람을 느끼고 싶다

저 멀리서 불어오는 바람을
너와 온몸으로 느끼고 싶다

너와 함께
느끼며 살아가고 싶다.

은하수

아름다운 저 은하수에
몸을 담그고 싶다

위험하지만
길을 잃을 수 있지만
꼭 한번 들어가고 싶다

네 두 눈에
은하수를 꼭 빼닮은
네 두 눈에 푹 빠지고 싶다.

커피

너와 있으면 부드럽다

그러나 네가 없으면
씁쓸하다

너라는 설탕이
나의 쓴 커피를
달게 만들어 준다.

소나기

눈물이 흐른다

안 그래도 보고 싶은데
내 심정을 놀리듯 이리 소나기까지 찾아오다니...

사랑의 크기

'사랑해'
'사랑해요'
이런 말 할 때는 잘 모른다

얼마나 사랑하는지
서로의 앞에서 말해야
그 크기를 알게 된다.

사랑의 정의

1. 어떤 사람을 몹시 아끼고 귀중히 여기는 마음

2. 어떤 대상을 아끼고 소중히 여기는 마음

3. 남을 이해하고 돕는 마음

여름 바닷가

더운 여름날
너랑 저 모레를 밟고 싶어

더운 여름날
너와 저 바닷가를 거닐고 싶어

더운 여름날
너와 나의 분신과 함께 있고 싶어

더운 여름날
매년 너와 함께하고 싶어...

노부부 이야기

"할멈 나와 왜 결혼했나?"
"사랑하니깐.. 영감은 그럼 나랑 왜 결혼했나?"
"나도 사랑하니깐"
"그럼 나 갈 때까지 기다릴 수 있겠나?"
"당연하지, 그런데 걱정 말라 내도 금방 갈 거다.."
"아니다 아주 천천히 늦게 와라"
"그래 알았다.. 먼저 가라
어쨌든 내도 빨리 갈 테니 늦더라도 좀만 참거라.."

나무

새순일 때는 네가 나를 지켜줬다.

어느 정도 자라고 나니
너를 햇빛에서 조금 가려줄 수 있게 되었다.

다 크고 나니
너를 햇빛으로부터 완벽히 가려줄 수 있게 되었다.
다들
왜 그렇게 까지 하냐 묻는다

딱히 이유는 없다.
내가 좋아서
너를 좋아하니깐...

들꽃

저 평야에 강하게 피어있는
들꽃처럼 널 사랑하길

아무리 밟히고
거센 바람이 불어도

꺾이지 않길
널 사랑하길...

네게 보내는 편지

'좋아한다' 그 한마디로
연인이 되었다

너무 아껴서
어디 내보내지도 못했다

네가 웃을 땐
내 마음에 위로가 되었다

네가 울 땐
내 마음에 비가 내렸다

하나 울지는 않았다

울던 네 모습마저
사랑했으니깐...

하루에 몇 번씩

하루에 몇 번씩
네가 보고 싶다.
하루에 몇 번씩
네 곁에 있고 싶다
하루에 몇 번씩
네 손을 잡고 싶다
하루에 몇 번씩
네 품 안에 있고 싶다

내가 도대체 왜 이러는 걸까?
나도 이해가 되지 않는다.

어디가 좋길래

넌 내 어디가 좋아서
나한테 붙어있는 거니
내가 너에게 빠진 걸까
아니면 네가 나에게 빠진 걸까...

인연

인연인 사람들은
어떻게든 이어진다고 한다
그러나 인연이 아닌 자들은
어떻게든 해도 결국엔 엇갈린다고 한다

그것이 인연이다.

연모 2

죽기 전 딱 하나 든 생각이 있다

내가 너를 만나지 않았더라면
그러면 내가 어떻게 돼었을지...

어둠만 존재했다
네가 없는 내 삶은
끝없는 고통 속에서
스스로를 좀먹어 가며
그리 허무하게 끝날 삶이었다

그러나 어둠만 존재하던 내 삶에서
너라는 한줄기 빛이 나를 이끌었다

그 빛은 눈부셨고
또한 아름다웠다.

다행이다, 널 만나서

다행이다, 널 연모해서
다행이다, 네가 나의 연인이어서...

내 욕심

비가 내릴 때
내가 너의 우산이 될게

네가 모른 게 있을 때
내가 너의 사전이 될게

네가 무료하면
너의 웃음이 될게

내 욕심이지만
너의 연인이 돼줄게

사모

오직 하나만 사모하기를

해 만을 사모해
꽃을 피우는 해바라기처럼

달만을 사모해
꽃을 피우는 달맞이꽃처럼

너를 사모해
너를 닮아가는 나처럼

너를 사모해
밝게 웃는 나처럼

너 하나를 사모하는
이 마음으로

내 가슴 속을 채우길 빌며

어둡던 내 가슴을
밝게 비추길 빌며...

write love

세상에서
가장 아름다운 그 사람

그 사람과 가는
가장 아름다운 그 길

가장 행복한 그 순간은
그 사람과 함께
살아가는 지금

가장 눈부신 너와
함께 써가는 이 글

'사랑'
절대로 끝낼 수 없는 글

언젠가
이별은 있겠지만

그래도 지금의 이 글을
끝내지 않기를...

단 하나의 기억

살면서
가장 인상 깊던 기억은 무얼까?

사람마다 다르겠지만
내게는 너와 함께했던 그 순간

그날의 기온, 습도, 풍경
모두 기억이 난다

그만큼 너를
아꼈기 때문일까?

언젠가 네가 날 잊는 다해도
내 이름만은 기억해 주길

괴롭더라도
나는 기억하길

너를 사랑했다고
나는 그리 기억하길

현재의 우리가
먼 훗날
서로를 기억하며 잠들길

그것이 내 사랑의 방식이니깐...

나의 태양

너는 항상 눈부셨다

무얼 해도
눈부신 사람이다

나의 주군이자
나의 삶
나의 안식처

내 삶의 이유자
내 존재 이유인 자

나의 태양이여...

달빛의 무대

푸른 달빛이
거리를 비춘다

그 푸른빛 사이로
우리 둘의
춤시위가 벌어진다

황홀감이 온몸을 덮고

너와 나
오직 둘만이
무대를 거닌다.

그리움

그립다
나를 괴롭혔던 네가

그립다
갑자기 태도가 변한 네가

그립다
나와 가까워졌던 네가

그립다
네가.

그리움 2

그립다
내가 괴롭혔던 네가

그립다
당황하던 네가

그립다
나와 가까워졌던 네가

그립다
네가.

길

사랑이라는 길
너와 함께 걷는 그 길

연인이라는 길
네가 있는 그 길

너와 걷는 이길
항상 좋은 그 길

너와 걷는 이길
사랑해서
같이 있어서
너무나도 좋은
사랑이라는 그 길.

경험담

겪어보니 알겠더라

이별보다는
사랑이 조금 더
편하고 좋은 것이라고.

꿈

아마도 일어나지 않았을 때
설렘으로 일어나는 것.

영원역

사랑이란 기차를 타고
영원이라는 역으로 가면
너라는 영원이
날 맞이한다

기다림과 설렘을 가지고
한 발 한 발 더 나아간다면

너라는 영원이
나를 맞이한다.

정체

혼자서는 움직이지 못하는
미련한 나를
계속해 움직이게 해 준

너는 정체가 뭘까?

처음

사랑해
처음에도 나중에도

항상 처음인 것처럼
더 아끼고 사랑하고...

사랑을 하게 되면

사랑을 하면
너와 닮아진다

사랑을 하면은
하루하루가 즐거워진다

사랑을 하면은
마음에 위로가 된다

사랑을 하면은
다투기도 한다

그러나 할 수밖에 없는 것
인생에 일부가 되는
사랑이란 그런 것.

봄

사랑이란
봄인 것

따스하게 맞이해 주는
그런 것

봄날처럼
따스하고
나른하게

그렇게
아껴주는 것